roman rouge

Dominique et Compagnie

Sous la direction de
Yvon Brochu

Hélène Vachon

Somerset
Le cinéma de Somerset

Illustrations
Yayo

**Catalogage avant publication de la
Bibliothèque nationale du Canada**

Vachon, Hélène, 1947-
Le cinéma de Somerset
(Roman rouge)
Publ. à l'origine dans la coll. :
Carrousel. Mini-roman. 1997.
Pour les enfants de 6 ans et plus.

ISBN 2-89512-394-2

I. Yayo. II. Titre.

PS8593.A37C55 2004   jC843'.54   C2003-941958-4
PS9593.A37C55 2004

Dépôts légaux : 1er trimestre 2004
Bibliothèque nationale du Québec
Bibliothèque nationale du Canada
Bibliothèque nationale de France

ISBN 2-89512-394-2
Imprimé au Canada

10 9 8 7 6 5 4 3 2 1

Direction de la collection :
Yvon Brochu, R-D création enr.
Éditrice : Agnès Huguet
Direction artistique et
graphisme : Primeau & Barey
Révision-correction : Marie-Thérèse
Duval, Martine Latulippe

Dominique et compagnie
300, rue Arran
Saint-Lambert (Québec) J4R 1K5
Téléphone : (514) 875-0327
Télécopieur : (450) 672-5448
Courriel :
dominiqueetcie@editionsheritage.com
Site Internet :
www.dominiqueetcompagnie.com

Nous remercions le Conseil des Arts du
Canada de l'aide accordée à notre programme de publication.

Nous reconnaissons l'aide financière du
gouvernement du Canada par l'entremise
du Programme d'aide au développement
de l'industrie de l'édition (PADIÉ) pour nos
activités d'édition.

Nous reconnaissons l'aide financière du
gouvernement du Québec par l'entremise
du Programme de crédit d'impôt pour l'édition de livres – SODEC – et du Programme
d'aide aux entreprises du livre et de
l'édition spécialisée.

Mon père dit toujours qu'il y a un mot pour chaque chose. C'est faux : il y en a plusieurs.

La preuve ?

À l'école, il y a un nouveau directeur. Pauvre lui ! Avec tous ces visages inconnus qui l'entourent, il doit se sentir bien petit dans ses souliers.

Aujourd'hui, je l'ai rencontré. Je me rendais à la cafétéria. J'avais mon sac à dos sur le dos et ma

pomme dans la main. Ma belle pomme verte.

J'arrive près du grand escalier. Le directeur est en bas, moi en haut. Il s'apprête à monter, moi à descendre. « Chouette ! je me dis. Voilà l'occasion de lui souhaiter la bienvenue. » Il monte, je descends. Vu d'en haut, il a l'air encore plus petit.

Bon. Ce n'est pas tout de le rencontrer, il faut lui dire quelque chose, au nouveau directeur. Mais quoi ? *Bonjour,* tout simplement.

Bonjour? Oui, pourquoi pas ?
En tout cas, c'est un début.

D'accord pour *bonjour*.

Non. Pas *bonjour*. Je suis trop
jeune. Il y a seulement les vieux
qui disent *bonjour*. Mon père. Ma
tante Gamma. Si je dis *bonjour*
au nouveau directeur, il ne me
croira pas.

Éliminé, *bonjour*.

Alors, qu'est-ce que je lui dis ?

Vite, Somerset. Tout ce temps-là, il monte, le directeur, et toi, tu descends. Alors, grouille !

Salut ?

Oui, *salut,* c'est bon. C'est sympathique. Va pour *salut.* Mais *salut* quoi ? *Salut, monsieur le directeur* ? Non. Les deux ne vont pas ensemble.

Salut tout court, alors.

Oui. *Salut.*

Salut ou *allô* ?

Non, pas *allô*. C'est trop familier et on ne se connaît pas encore. *Salut*, alors. Oui, *salut*. Bon.

Le directeur monte. L'escalier n'en finit plus. Moi, je descends. Une éternité. J'ai hâte d'en finir.

Autour, c'est le brouhaha habituel des allées et venues. À bien y penser, *allô* est peut-être plus naturel. *Salut* fait un peu camp d'été et on est presque en automne.

Zut ! *Salut* ou *allô* ? *Allô* ou *salut* ?

Du calme, Somerset.

Le directeur monte toujours. *Allô* ? *Salut* ? Vite, Somerset. Décide-toi, sapristi ! Plus que cinq marches vous séparent, lui et toi.

Allô ? *Salut* ?

Plus que deux marches. Le directeur lève la tête et me sourit.

– Bonjour, dit-il.

Il a dit *Bonjour*.

Allô ? *Salut* ? J'ouvre la bouche :

– Sallô !

Coup de tonnerre dans ma tête.

Le monde bascule autour de moi.

Sallô ? J'ai vraiment dit « Sallô » ?

SALAUD !

SALAUD ! ! !

Et mon père qui prétend qu'il y a un mot pour chaque chose ! Je ferme les yeux et je m'agrippe à la rampe. Mes jambes continuent à descendre. Sans moi, on dirait. Je rêve. Ce n'est pas possible. Tu n'as sûrement pas dit ça, Somerset. Ce n'est pas vrai. J'ouvre les yeux. Non, je ne rêve pas. J'ai vraiment dit ça. Les jambes molles, je descends toujours. Une autre éternité s'écoule.

En bas de l'escalier, je me retourne. Là-haut, le directeur gravit péniblement la dernière marche et s'éloigne. Le dos voûté et la tête basse. Il a vieilli de plusieurs années, tout à coup. En vingt marches, il a pris dix ans. C'est trop.

Le corridor est presque vide, à présent. Je devrais être à la cafétéria moi aussi, en train de manger. Je reste là sans rien faire, mon sac à dos sur le dos et ma pomme tout humide dans la main.

Bon. Reprends-toi, Somerset. Et répare les dégâts.

Comment ?

La voix de mon père me souffle à l'oreille :

– Simple, Somerset. Explique-toi. Le directeur comprendra. Des gaffes, il a dû en faire quand il était petit. Sa vie doit être pleine de petits « Sallô », à lui aussi.

M'expliquer ? Pas question ! Pas aujourd'hui, en tout cas. Si je mêle les syllabes de deux malheureux petits mots, imaginez ce que ce serait avec une phrase complète.

– Écris-lui alors, me souffle encore la voix. Une simple note sur un simple bout de papier. Une note que tu pourras relire cent fois avant de la glisser sous sa porte.

Bonne idée !

Je me cache dans les toilettes.
J'arrache une feuille de mon cahier
et j'écris : « Je ne pensais pas un
seul mot de ce que je vous ai dit
tout à l'heure. Somerset. » J'aperçois ma pomme par terre. J'ai
faim, mais tant pis. J'ajoute un
post-scriptum : « Je vous donne
aussi ma pomme. » Je plie la feuille
en deux et je monte au dernier
étage, au bureau du directeur.

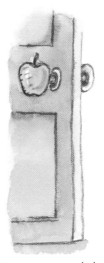

Mais là, j'ai un problème : comment glisser une pomme sous une porte ? À moins de biffer le post-scriptum ? Ça ne se fait pas, Somerset. On ne reprend pas ce qu'on a donné. Il ne reste qu'une solution. Je frappe tout doucement à la porte. Pas de réponse. Je tourne lentement la poignée, qui cède.

Personne.

J'entre dans le bureau sur la pointe des pieds et je referme la porte. Ça non plus, ça ne se fait pas, Somerset. On n'entre pas dans un bureau sans y être invité. Je sais, mais il le faut. Et au point où j'en suis !

Je me rends jusqu'à la table, je dépose la feuille et la pomme bien en vue. Après un dernier regard

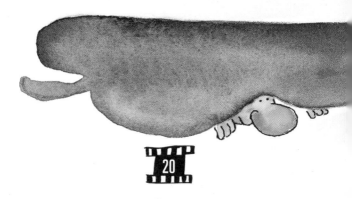

d'envie pour ma pomme, je reviens sur mes pas et je m'arrête tout net.

Catastrophe ! De l'autre côté de la porte, il y a des voix. Au moins deux. Comme si je n'avais pas assez de problèmes comme ça.

Me cacher ? Mais où ? Je me

rue sur la seule autre porte de la pièce. Verrouillée. Je regarde partout. Pas de placard, pas de grosse plante, pas de portemanteau. Je vois la poignée qui tourne.

Vite, Somerset.

La fenêtre ! L'unique fenêtre. Ouverte. Chouette !

Je me précipite à la fenêtre et je regarde en bas. Haut, très haut. Tant pis. J'enjambe le rebord et je me retrouve sur la corniche. De quel côté, croyez-vous ? Dos au mur ? Impossible, à cause du sac

à dos. Face au mur, alors ? Oui.
Les bras plaqués contre la brique,
comme si j'embrassais l'école.

Ils sont dans le bureau, à
présent. J'entends leurs voix tout
près. Ils discutent, ils discutent.
De mon cas, peut-être ? Bien sûr
que non, Somerset. Ne t'emballe
pas. Reste là sans bouger, le temps
que le bureau se vide et que tu
puisses rentrer. L'heure du repas

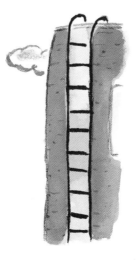

doit être passée depuis longtemps.
Zut ! J'ai de plus en plus faim et je
n'ai plus de pomme.

Et puis, il fait chaud sur la corniche. Le soleil tape dur et je com-
mence à ramollir. Mais qu'est-ce
qu'ils fabriquent dans le bureau ?
Je voudrais bien redescendre, moi.

Je regarde à gauche, puis à
droite.

Là-bas, au bout de la corniche :

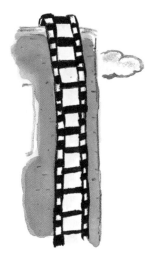

l'escalier de secours ! Qui mène di-
rectement en bas. Super ! Je quitte
la fenêtre et, brique après brique,
je longe la corniche.

Tout à coup, j'entends comme un
murmure. Qui vient d'en bas. Ne
regarde pas, Somerset. Je regarde.
Tiens ! Il y a des gens dans la cour.
Ils regardent en haut. Quoi, au
juste ?

Ou qui ?

Moi ?

C'est bien ma chance : à quoi ça sert de me cacher du directeur si toute l'école me voit ? Je longe toujours la corniche. Quatre briques, cinq briques. En bas, le murmure s'amplifie. Le petit groupe aussi. Mais qu'est-ce qu'ils attendent ? Que je grimpe sur le toit ? Comme au cinéma ? Dans les films, il y a toujours un malheureux

juché sur un toit et une foule en bas qui attend qu'il tombe. Six briques. Sept. Mais qui peut bien vouloir tomber aujourd'hui ? Il fait beau, le soleil brille et, à part moi, personne n'a de vrais problèmes.

Alors ? Qui peut être malheureux à ce point ?

En bas, il y a foule, à présent : je reconnais des professeurs, des élèves. Il n'y a pas de classe, on

dirait. Décidément, je n'ai pas de chance. Pour une fois que c'est congé, je suis coincé entre ciel et terre.

Plus que trois briques avant l'escalier de secours. Courage, Somerset.

Soudain, c'est le silence total en bas. Tous les gens ont les yeux ronds et la main plaquée sur la bouche. Qu'est-ce qui les affole autant, sapristi ? Je regarde de tous les côtés, je lève la tête…

Le directeur !

Sur le toit. Comme au cinéma. Blanc comme un linge et les yeux rivés sur moi. Alors c'est lui, le malheureux qui veut se jeter dans le vide ! Tout ça à cause d'un mot, un malheureux petit *sallô*. On n'a pas idée de s'en faire pour si peu.

Vite, Somerset. Fais quelque chose ! Je regarde en bas : il n'y a pas encore de filet. Tant mieux. Comme ça, pas de danger qu'il tombe, le directeur. Au cinéma,

celui qui est en haut attend toujours que le filet soit installé pour
tomber. Sinon, il pourrait se faire
mal. Mais des fois, au lieu du filet,
il y a une deuxième personne qui
monte sur le toit et, à la fin, personne ne tombe.

Plus question de redescendre,
Somerset. Cette deuxième personne, c'est toi !

J'agrippe l'escalier de secours

et je monte. J'ai les jambes qui tremblent et le cœur qui bat. J'arrive en haut. Le toit est grand et plat. Il y a une petite tour au milieu, avec une porte. Le directeur est monté par là.

— Pas un pas de plus, je dis fermement. Reculez.

Il recule de quelques pas. « À la bonne heure ! » je me dis.

— Mais qu'est-ce que tu fabriques sur la corniche ? demande le directeur.

Moi ? Pourquoi moi ?

– Moi ? C'est à cause de la pomme, je réponds.

– La pomme ?

– Bien sûr. Et vous, qu'est-ce que vous faites sur le toit ?

– Moi ? C'est à cause de toi.

Évidemment ! Quand on traite quelqu'un de salaud, on ne peut pas s'attendre à ce qu'il soit gai, gai.

– Ce n'était pas le bon mot, je

dis. C'était une erreur. Vous n'avez pas lu ma note ?

– Ta note ? Quelle note ?

– Celle qui était à côté de la pomme.

– Quelle pomme ?

De mieux en mieux : il n'a pas vu ma pomme. Et s'il n'a pas vu ma pomme, il n'a pas lu ma note. Je soupire.

– Le mot que je vous ai dit n'était pas le bon. Il y en avait deux et

j'hésitais entre les deux.

Parle, Somerset. N'arrête pas de parler. Pour le distraire. Dans les films, il y en a toujours un des deux qui parle sans arrêt et ça empêche l'autre de tomber.

– Si vous l'aviez vue, ma pomme, vous ne seriez pas là en train d'être triste à cause d'un mot malheureux.

– Je ne suis pas triste, Somerset, j'ai peur.

– Peur ? Pourquoi ?

– Peur que tu tombes, voyons !

– Tomber ? Moi ? C'est vous qui devez essayer de tomber.

– Moi ? Pourquoi ?

– À cause du mot…

– Quel mot ?

Ça, c'est un comble. Passe encore pour la pomme. Qu'il soit aveugle, je peux comprendre, mais sourd !

– Le mot malheureux…, je dis.

Dans les yeux du directeur, c'est le vide total.

Allons bon ! Est-ce que j'aurais tout fait ça pour rien ? La note, la pomme, l'évasion, la corniche. Tout ça pour un directeur aveugle et à moitié sourd !

Aveugle et sourd en même temps ? « Impossible », je me dis. Mine de rien, je marmonne :

– Allô-salut-sallô ! Allô-salut-sallô !

Le directeur me regarde, étonné.

C'est bien ce que je pensais : il est sourd comme un pot. Et s'il veut se jeter en bas, ce n'est pas à cause du mot malheureux, c'est tout simplement parce qu'il est vieux, sourd et aveugle.

– Vous n'êtes pas si vieux que ça, je lui crie, pour l'encourager.

– Pas si fort, Somerset. Je ne suis pas sourd.

Ils disent tous ça.

– On devrait redescendre à présent, dit-il.

Moi, je ne demande pas mieux. J'ai faim, j'ai chaud et il n'y a pas grand-chose à faire sur un toit plat. Et puis, si c'est congé en bas, j'aimerais bien en profiter, moi aussi.

– D'accord.

On se rend jusqu'à la petite tour. Le directeur s'efface pour me laisser passer.

– Après toi, Somerset.

Rusé, le directeur ! Mais s'il s'imagine que je vais tomber dans le piège et passer devant ! Des plans pour qu'il se jette en bas dès que j'aurai le dos tourné.

– Après vous, je dis.

Après tout, c'est ce qu'on nous apprend, à l'école : les gens âgés d'abord.

– Non, Somerset. Toi d'abord.

On n'est sûrement pas allés à la même école, lui et moi. Mais si on continue comme ça, on va passer la journée en haut.

– D'accord, je dis. Mais à une condition.

– Laquelle ?

– Je vous tiens la main.

S'il ne voit rien, c'est plus pru-
dent.

— Si tu veux.

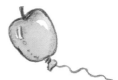

Je prends la main du directeur
dans la mienne et on descend. Plus
on descend, plus ça monte à l'inté-
rieur de moi. Comme une immense
joie mêlée de soulagement.

Main dans la main, on sort de l'école. La foule s'écarte pour nous laisser passer. J'aperçois le concierge. Je m'approche :

—Je vous le confie, je dis. Arrangé comme il l'est, il pourrait vouloir remonter et se jeter en bas encore une fois. Moi, je n'ai plus le temps, il faut que j'aille jouer, c'est congé.

Je lâche la main du directeur, je rentre à l'école et je grimpe les escaliers quatre à quatre pour aller chercher ma pomme.

Dans la même collection

Achevé d'imprimer en février 2004
sur les presses de Imprimerie L'Empreinte inc.
à Ville Saint-Laurent (Québec)